"经营之圣"稻盛和夫《活法》书系之五

活法 伍

「成功」と「失敗」の法則

成功与失败的法则

[日] 稻盛和夫（Kazuo Inamori）著
喻海翔 译　曹岫云 审校

人民东方出版传媒
People's Oriental Publishing & Media
東方出版社
The Oriental Press

图书在版编目（CIP）数据

活法. 伍, 成功与失败的法则：小开本 / (日) 稻盛和夫 著；喻海翔 译. — 北京：东方出版社，2019.2

ISBN 978-7-5207-0636-0

Ⅰ. ①活…　Ⅱ. ①稻… ②喻…　Ⅲ. ①人生哲学—通俗读物②成功心理—通俗读物
Ⅳ. ①B821-49②B848.4-49

中国版本图书馆CIP数据核字（2018）第243401号

活法伍：成功与失败的法则（小开本）
（HUOFA WU: CHENGGONG YU SHIBAI DE FAZE）

作　　者：［日］稻盛和夫
译　　者：喻海翔
审　　校：曹岫云
责任编辑：贺　方
出　　版：东方出版社
发　　行：人民东方出版传媒有限公司
地　　址：北京市东城区东四十条113号
邮　　编：100007
印　　刷：鸿博昊天科技有限公司
版　　次：2019年2月第1版
印　　次：2019年2月第1次印刷
印　　数：1—10 000册
开　　本：787毫米 × 1092毫米 1/32
印　　张：3.375
字　　数：50千字
书　　号：ISBN 978-7-5207-0636-0
定　　价：48.00元
发行电话：（010）85924663　85924644　85924641

能够将考验当作最好的成长机会的人，以及能够将人生视作升华心性之旅、磨炼灵魂之所的人——只有这样的人，才能够在有限的人生当中，获取丰厚的收获，并给周围的众生带来无尽的幸福。

自　序

我相信人生"真正的成功"就是为了让自己尽可能地要比当初来到这个世间时更加完美和善良而努力提升、净化和磨砺自身的灵魂。

获得较高的社会地位、让自己声名彰显以及成为富人这样的世俗成就只能算得上是"虚妄的成功"，一旦当我们生命结束、离开这个世间之时，没有一样能够带走。

本书是由我自1996年开始到2007年期间，断断续续为《致知》月刊所写的前言收集整理而成。在前后十年的时间里，目睹着各种造成社会动荡的事件，每当提笔撰写这些前言时，我都会根据当时的具体社会状况，选择适宜的主题进行论述。

然而没想到的是，此次当我依照致知出版社的藤尾秀昭社长之邀，试着将这些各自为篇的前言集为一册时，却发现全书前后居然非常通顺流畅。

正如我在一开始就坦言的一般，这本书中的内容就代表了我的人生观。换而言之，也可以说这本书讲述的是“获得精彩人生的原理和原则”。如果本书的读者能够从中有所获益，那么我将感到非常荣幸。

尽管本书出自一名企业经营者之手，文句拙劣，不过我尽力想在书中展现我在七十多年努力不懈的人生岁月里，对于为了获得人生“真正的成功”，我们应该如何思考，如何生活所进行的诸多思考与所得。

我真心祈愿，本书的各位读者都能够收获一个丰富、幸福的人生。

京瓷名誉董事长　稻盛和夫

目 录
contents

第一章　人生的目的

人通过考验而成长

成长的分水岭

当人们步入人生终点时，其中既有人格高尚者，也有与之相反的人。我想，这之间的差异，就在于在人生旅途中，人们能否磨炼自己、提升自己的人格。

可以做一个比喻——当我们降临尘世时，犹如一块璞石，只有在经过后天的打磨之后，才有可能像璀璨的宝石一般，成为一个具备高尚人格的人。

那么，我们究竟又该如何来磨炼自身呢?

我将经受“考验”视作在成长道路上实现飞跃的机遇。事实上，在那些成就伟大事业的人士当中，没有一个人不曾遭受过各种各样的考验。

明治维新的功臣西乡隆盛正是这样的一个人。西乡隆盛在小时候只是一个被周围人唤作“傻大个儿”的平凡孩童。但是后来他却成长为令幕府末期的伟人胜海舟（1823—1899，日本幕府末期的政治家，曾担任过幕府以及明治政府海陆军的重要职务。——译者注）等人都深感叹服的高洁之士，并最终推动并促成了明治维新的伟业。

西乡隆盛在他的人生道路上经历了各种各样的考验。比如他年轻的时候，曾经与他亲密的朋友——僧人月照共同在鹿儿岛的锦江湾投海自尽，最终却只有他自己侥幸获救。在那一刻，挚友之死必定给西乡隆盛带来了巨大的痛苦（安政五年，即1858年，当时的幕府首领井伊直弼下令剿除反幕府派，史称“安政大狱”。西乡隆盛与遭到通缉的月照一起逃出京都，回到故乡鹿儿岛。但是当地藩主不仅不接纳月照，甚至意欲加害。故此，1858年11月16日，西乡隆盛与月照共同在锦江湾投水自尽，但是月照殒命，西乡隆盛却奇迹般地幸存了下来。——译者注）。

此外，西乡隆盛还曾两度被流放到远离大陆的偏僻小岛蛰居。尤其是第二次时，由于触怒了岛津久光（1817—1887，江户幕府末期萨摩藩主忠义之父，是萨摩藩的实际控制者。——译者注），更是被押送到远离鹿儿岛的冲永良部岛，囚禁在狭小的牢笼中任由风吹雨打。

然而即便是在这种逆境当中，西乡隆盛也从不懈怠，通过苦读中国经典古籍来充实提升自己。最终西乡隆盛不仅忍受了所有的苦难，并且还以这些苦难为资粮，让自身的人格得到了不断的磨砺。

之后，被允许离开流放岛屿的西乡隆盛由于其高洁的人格和远见卓识，从而在众人中赢得了威望和拥戴，并最终成为了明治维新的重要推动者。

西乡隆盛的人生证明，在遭受“考验”时，我们采取什么态度，对今后的人生有多么重要。

在面对苦难时，是甘拜下风、舍弃梦想，或者中途妥协，还是像西乡隆盛那样，视苦为乐、坚韧不拔，这正是决定每一个人能否成长的分水岭。

如何对待考验

我所认为的“考验”并不是仅仅指遭受苦难。对于个人而言，顺境同样也会是考验。

比如我们在事业上大获成功，因此获得了地位、名誉和财产时，这在周围人看来，自然会心生羡慕，赞叹“这真是精彩的人生”。然而，事实上这才是上天赋予我们的严峻“考验”。

当我们获得成功时，究竟是沉湎地位、醉心名誉、贪恋财富、骄奢懈怠，还是以成功为凭借，设定更加高远的目标，愈加谦虚、努力精进？这种态度的不同，将让我们此后的人生产生天壤之别。也就是说，上天正是通过赐予成功的方式来对一个人施以“考验”。

因此，人生是大大小小各种苦难与成功的连续。所有这些都是“考验”。如何应对这一系列“考验”，将让我们的人生显现出巨大的差别。

我们每一个人，不管是遇到苦难还是幸运的“考验”，都绝对不能迷失自我。

总而言之，面对苦难，勇敢相对，一心坚忍精进；面对成功，谦虚为怀，愈加真诚努力。唯有如此，日日不懈，我们才能够在人生路途上大步向前。

每当看到当今这个混沌迷乱的社会，我就坚信，不管我们每个人身处何种境地，只要大家都能够努力不懈地磨砺自身、提升人格，那么即便看上去有些与现实格格不入，但是最终依然能够推动整个社会的进步。

面对苦难，勇敢相对，

一心坚忍精进；

面对成功，谦虚为怀，

愈加真诚努力。

唯有如此，日日不懈，

我们才能够在人生路途上大步向前。

地狱天堂皆由心定

利己之心与利他之心

在日常生活当中，我们总是不由自主地陷入患得患失的境地，并以此来左右自己的行为。也就是说，由于被利己心所蒙蔽，而最终以自我为中心的态度来对待一切。

但是，正是由于存有这种心态的人越来越多，最终导致连日本这样的富足社会也开始变得世风日下，一片混乱。正是有鉴于此，为了让世间恶状能够得到改善，我才会不断发出呼吁，希望众人“不要被利己的念头所俘获，而要珍惜保持即便做出自我牺牲也要利益他人的利他之心”。

由于佛教对于这种体贴之心、利他之心的重要性早已有通俗易懂的解释，因此容我在这里对此做一点介绍。内容主要都是从我本人担任着信徒总代表的京都圆福寺的老和尚那里得到的教诲。

一名在这家寺院里修行的行脚僧曾经向老和尚请教：

“据说在我们这个世间之外还存在着地狱和天堂，这是真的吗？如果真有地狱存在的话，那么具体位置又在何处呢？”

老和尚对此回答道：

“地狱与天堂当然都是实际存在的。只是它们之间并没有你想象的有那么大的差别。从外表上看，地狱和天堂并无二致，唯一不同的只是居于其间者的自心而已。在地狱里居住的都是只顾自我的利己之徒，在天堂里居住的则皆是心存体贴，怀有一颗利他之心的人。”

行脚僧于是进一步向老和尚请教说：

“可是为何众人自心的不同却又能够化生出地狱与天堂这般决然不同的所在呢？”

对于这个问题，老和尚借用下面这个例子进行了详细的解说。

由善良体贴的心念所创造的美好世界

对于一群正在日夜不断专心修行的僧侣们而言，一碗素面就已经是最美味的食物了。在这些僧侣们所居住的房间正中摆放着一口正冒着腾腾热气、煮着面条的大锅，蘸汁作料也早已在一旁准备妥当。

但是在这里吃面却又有着与其他地方不同的规矩，任何人都必须用一双长达一米的筷子夹面。而地狱天堂之别恰恰也正是由此产生。

也就是说，不管是在地狱还是在天堂，锅的尺寸，以及围在锅边等待进食的人数都是一模一样的。

老和尚向行脚僧发问道：“你想象一下，地狱还有天堂的人们，在饥肠辘辘、面对着满锅令人胃口大开的面条时，各自又会做出怎样的举动呢？”

在地狱里，尽管众人第一时间就抢到了筷子，可是当他们夹起面条时却发现筷子太长，根本无法将面条送到口中。这时坐在对面的人看到这方已经捷足先登，夹到了面条，于是也不甘示弱地伸筷子过来抢夺这方的面条。场面顿时一片狼藉混乱，锅边散落了一地好不容易才得来的面条，最终，谁也没能吃上一口面条，锅边的人们也就不得不陷入挨饿的困境中。

接下来再看看天堂的景象。由于这里的人们都拥有一颗体贴善良的心，因此当开饭时，相互谦让，都用筷子夹起锅中的面条，蘸好作料，然后将面条喂给自己对面的人。

对面的人也是同样行事，夹起面条蘸好作料喂回过来。于是最终不仅没有浪费一根面条，大家又都能够不慌不忙、满心感恩地从容进餐。

“天堂就是这个样子，但是如果只看外表的话，其实与地狱没有任何不同。”老和尚最后这样向行脚僧说道。

正如这个故事所寓意的，现实世界，是为天堂，或为地狱，皆由众人自心所决定。

我衷心希望我们所处的这个现代社会，能够成为一个由怀有先人后己、体贴善良之心的人共同构成的美好社会。

现实世界，是为天堂，或为地狱，

皆由众人自心所决定。

为什么需要哲学

保持正道的指南针

这个世界上有许多能力非凡，但是由于心性不正而误入歧途绝路的人。在我本人所在的企业经营领域里，就有不少由于完全以个人谋利为中心，因此最终遭受挫折，乃至就此没落的人。

可是那些富有经营管理才干的人为何最终会自赴绝路呢？俗话说得好，“所谓才子者，往往因才而误”，这也就是说，才华横溢者往往因为对自身的才华过于自负，结果迷失到了错误的方向上去。这些人即便能够依靠自身才华获得暂时的成功，但是最后对于个人才华的过度依赖终将让他们走上失败的道路。

因此越是有才华的人，越是需要拥有能够让自身保持正确航向的指南针。这个所谓的指南针就是理念和思想——也即哲学。一个人如果缺少哲学理念、存在人格缺陷的话，那么即便他有天大的才华，也难以将自己卓越的才能用到正道上去，最终难免误入歧途。这一点不仅适用于企业领导者，同样也适用于我们每个人的人生之路。

我将人格用“性格＋哲学”的公式来加以表现。我们每个人生而有之的性格，再加上在后天人生道路上学得的哲学构成了我们的人格。也就是说，一个完整的人格是由先天赋予的性格与后天习得的哲学来共同组成的。

换而言之，假如我们不能将哲学之根扎稳扎深的话，那么人格之树终究将难以枝繁叶茂。

为人处世之正道

那么，我们究竟需要掌握怎样的哲学理念呢？简单地说就是“为人处世之正道”，也就是那些为人父母都会向自己的子女们不断教诲灌输的至简道理，这些同时也是人类社会自古以来就早已形成的伦理和道德观念。

具体可以包括：

不撒谎；

不给他人添麻烦；

正直为人；

不贪婪；

不自私等。

我们每一个人都应该将以上这些从小就从父母和老师那里所学到的，之后在我们的成长过程中却又都被遗忘掉了的简单守则重新拾起来，用作我们人生各种行为判断标准的指南针。

没有任何人能够在违反以上这些受到社会广泛认同和遵守的道德伦理规范的前提下，永远保证前路畅通无阻。尽管上面的这些规范都是一些极其简单的标准，然而只要谨守其道，那么我们就必然能够在人生的旅途中不受迷惑、保持正道。

回归人生的原理原则

在现在的日本，不少人都认为那些代表人生准则的伦理和道德只不过是些过时的陈词滥调。第二次世界大战之后，日本对于战前将道德用于错误的思想教育的做法进行了反省和纠正，但也因此对于伦理和道德等概念变得讳莫如深。然而，这些概念原本都是人类智慧的结晶，是我们本应用来指导日常行为的基轴。

当代日本人由于以不合时宜为理由抛弃了众多源自于生活之中的智慧，过于追求生活的便利舒适，从而最终抛弃了许多非常宝贵的东西，伦理和道德恰恰正是这其中之一。

此时此刻正是我们应该重新认识那些作为人生根本的原理原则，并将其付诸我们日常生活之中的时候了。我相信，如果我们每个人都能够心存此念，那么我们不仅能够让自己的人生更加充实，并且整个社会也将会更加富足和谐。

我将人格用“性格 + 哲学”

的公式来加以表现。

今天的作为是为了更加美好的明天

人生唯一的不灭之物

我们人生的意义是什么？人生的目的在哪里？

对于这个人生最基本的问题，我认为必须从正面回答，我的答案是：提升心性，磨炼灵魂。

人生在世，为欲所迷，为欲所困，可以说是我们人这种动物的本性。如果放任这种本性，我们就会无止境地追求财产、地位和名誉，就会沉湎于享乐。

当然，生活需要丰衣足食，自由活动需要相应的资金，希望立身处世也是进步的动力，这些都不应一概否定。

然而，上述一切只能限于现世，再多也不能带往来世，今世的事情必须在今世清算完结。

如果说人生有不灭之物，那就是“灵魂”。

当死亡来临的时候，你在今世所创造的地位、名誉、财产就得统统放弃，只能带着你的“灵魂”开始新的征程。

因此，如果有人问我：“你为何来到这世上？”我会毫不含糊地回答：“是为了在死的时候，灵魂比生的时候更纯洁一点，或者说带着更美好、更崇高的灵魂去迎接死亡。”

考验是修炼灵魂的最好机会

经受各种风浪的冲击，尝尽人间的苦乐，或幸福或悲伤，一直到呼吸停止之前，我们都不懈地、顽强地努力奋斗。

这个人生的过程本身，就像磨炼灵魂的砂纸，人们在磨炼中提升心性，涵养精神，带着比降生时更高层次的灵魂离开人世。

我认为这就是人生的目的，除此之外，人生再无别的目的。

今天比昨天做得好，明天又比今天做得好，每一天都付出真挚的努力。在这不懈的工作的过程中，就体现了我们人生的目的和价值。

人生不如意事十有八九。有时我们甚至怨恨神佛，为什么只让我经历那么多的苦难？

但正是这些苦难才能磨炼我们的灵魂。把苦难看作考验，我们需要这样来思考问题。

所谓人生中的苦难，乃是锤炼自己人格的绝佳机会。

能够把考验看作绝佳的成长机会的人，再进一步说，现世的人生，是上苍赐予我们提升心性的一段时间，是上苍赐予我们磨炼灵魂的一个场所——持有这种观点的人，只有这样的人，才能在有限的人生中结出丰硕的成果，才能给周围的人们带来无尽的幸福。

我们人生的意义是什么？人生的目的在哪里？

对于这个人生最基本的问题，我认为必须从正面回答，我的答案是：提升心性、磨炼灵魂。

第二章　思想的力量

以善念为人生之本

善念得善果

为了能够获得一个精彩的人生，我们就需要明白“心态决定人生”这个重要的“真理”。

活跃于19世纪后半叶的美国启蒙思想家拉尔夫·沃尔多·特赖因（Ralph Waldo Trine）曾经说过：“任何思想都可以成为一种力量，并且还能够吸引来与之共鸣的其他思想。”

当我们心存善念时，这就将化为一股善的力量，并给我们带来善的结果。但是，如若我们心存邪念，那么这又同样会变为恶的力量，并为我们招致恶果。

因此，我们每个人都需要扪心自问的一点就是，自己心中究竟具备的是怎样一种“念头”？如果我们真心希望能够获得一个幸福美满的人生，那么我们就必须以善念为人生之本。

但是，善念又为什么能够给我们带来善果呢？

这是因为，我们所处的这个宇宙原本就充满了善意。之所以说这个宇宙充满了善意，是因为在我们这个宇宙当中，到处都洋溢着令万物生生不息、蓬勃向上的美好意念。只要我们相信并共有这种美好意念，并能够与这股充满关爱的宇宙意志的脉动合拍，那么我们将必然收获到与之匹配的回报。

正如“有舍就有得”和“好心有好报”这些老话所说的一样，关爱具有伟大的力量，今天你付出去的一份爱心，最终必然又会回馈回来，给你自己也带来幸福。

努力追求至纯之“念”

那么我们又如何才能够让自己的内心充满美好的善念呢？

当然，如果我们不是圣贤之士的话，想要让自己的内心都为善念所填满确实是一件绝难办到的事情。作为凡夫俗子，只要生活在这个世间，也必然会拥有欲望、恼怒和愚痴。

但是我们又不能任由这些恶念为所欲为，而必须努力遏制恶念，尽一切可能激发自身内心的善念。

为此，我们就必须时时进行自审自问，持之以恒地化解消除存于心中的恶念。只要能够坚持不懈地这样做下去，我们心中善念的力量就必然会逐日增长，并最终转化为实际的外在行动。

或许有人会对此产生怀疑："如果真要像你说的这样做个彻底的好心人的话，那又如何才能够让我们在这个冷酷的社会中生存下去？"事实上，这种观点是完全错误的。因为善念本身其实就拥有不可低估的巨大力量。

关于这一点，我在经营第二电电（现KDDI，由稻盛和夫所创办的电信运营公司，是世界500强企业。——译者注）时就有过切身的体会。当我最初创办第二电电时，许多人看到像京瓷这样一家中型企业居然想要涉足原本由日本国家垄断主导的行业，与

NTT（日本电信电话株式会社，是日本规模最大、历史最悠久的电信服务企业。——译者注）这样的庞然大物进行竞争，于是都揶揄我是堂吉诃德。

在我宣布要涉足电信领域后，以日本国有铁道为母体的日本电信，以及以日本建设省和道路公团为核心的日本高速通信紧跟着也先后加入了这个竞争领域。这两家公司不仅都具有官方背景，并且还都早已敷设完毕了覆盖全日本的铁道网和高速道路网等基础设施网络。反观第二电电，完全是基于在即将到来的信息化时代里，本着要让全体日本国民都能够享受到低廉通讯费用的单纯信念，宛若是赤手空拳般进入到了电信领域，实际上与竞争对手们之间的实力差距有如天壤之别。

但是对于第二电电的创办宗旨产生共鸣的公司员工们为架设通信网络和延揽客户付出了令人动容的努力。并且公司员工们的奋斗精神也感染了公司外部的代理店和我们的客户们，同样也引发了他们的共鸣。正是借此，第二电电才能够一步一步发展壮大成为今天的 KDDI。

最终，在那些各类经营资源充足、原本被公认为一定会大获成功的竞争企业都消失得无影无踪的同时，把“为了社会和大众利益”这样一种纯粹理念当作自身经营资源的第二电电却获得了切实的发展。这个事例最好地展示了个人与组织实现成长的真谛。

因此可以下结论说，在纯粹的高尚理念当中蕴涵着不可思议的力量。

20 世纪初期的英国著名启蒙思想家詹姆斯·埃伦（James Allen）曾经说过：“心术不正的人因为害怕失败而不敢涉足的领域，心灵纯洁的人随意踏入就轻易获胜。原因是，心灵纯洁的人总是神定气闲，他们总是以更为明确、更强有力的目的意识来引导自己能量发挥的方向。”

人生正是这样，我们每一个人都需要尽一切可能让内心的“念头”纯粹而又充满善意。当心存美好善良之念时，再加上不懈的努力，我们的人生将注定会美好而又充实。

在纯粹的、高尚的思想里

隐藏着巨大的力量。

动机至善，私心了无

来自少管所的读后感

受一家出版社的邀请，我出版了一本名为《活法青少年版：你的梦想一定能实现》的书。正如这本书日文版本的腰封上印的一句话“当你在人生道路上感到迷茫时，请一定读一读这本书”，我这本书的对象就是那些在现代社会里迷失了人生方向的青少年。

很久以来，我一直都祈愿那些遭遇过挫折、不幸的孩子们也同样能够拥有精彩的人生，因此这本书出版后，我向日本各地的少年管教所和收容所都作了捐赠。

于是，在各地少管所负责人向我寄来的感谢信里面，同时也会附上一些少管所学员们的读后感。我在一篇一篇阅读这些被认真整理妥当的读后感时，不由得心潮澎湃，热泪盈眶。

这些正在少管所里接受改造的孩子们诉说了自己在读完这本书后的心声。

“（读完后）我终于知道了，在逆境中也不能认输，只要不断努力的话，我也能够成为一个有价值的人。”

“我开始意识到，人生只有一次，必须认真努力地度过这一生。”

这些由于各种原因触犯了法律、陷入不幸深渊的孩子们想必都曾经因为自己的悲惨遭遇而怨恨整个社会。但是这些孩子现在已经开始醒悟，想要遵循一条更加正确美好的人生道路。

这也正是我这本书最大的诉求。通过改变“念头”来让人生变得更加美好——也就是如这本书的名字一样，我希望担负日本未来的年轻人都能够明白“心中愿望一定能够变为现实”。

思想具备强大的力量

一般我们都不会认为“思想”能够产生巨大的力量。然而事实上，“思想”却拥有超出我们想象的强大力量。

不过，这种思想需要具备美丽、真诚、光明、无邪等要素，一言以蔽之，这种思想必须纯粹。

在现实当中，有些时候我们会看到拥有这种纯粹“思想”的人能够从容地完成一些比较艰巨的工作。

例如，在日常工作当中，有些困难的项目会令能力超群的人也感到非常棘手。可是面对这样的挑战，那些拥有纯粹思想、意志坚强、一心想要克服困难的人却能够毫不迟疑地投入进去。周围那些深知问题艰巨性的人刚开始时都会认为“最终会以失败告终”，可是没料到所有问题最后却是轻松地得到了解决，因此他们往往都会对此疑惑不解。

我认为，之所以会如此，是因为纯粹的思想要胜于任何世间智慧，具有强大的威力。一心“利他”的善良思想不仅能够让我们赢得周围人的支持，同时也能够让我们获得上天的垂青，并最终将导引自身走向成功的道路。而与之相反的是，如果只会一心要小聪明、玩弄计谋，凡事只要自己好就行，以这种低层次思想为出发点的话，那么我们不仅得不到他人的合作和上天的眷顾，还会遇到各种障碍，不断遭受挫折。

私心了无

我自己就有过上面所说的这些亲身经验。

正如本书前面已经提到过的，我是在二十多年前创办了第二电电（现 KDDI）。当时我是为了想要降低社会大众的通讯费用，才涉足通信行业的。在作出决策前的大约半年时间里，我不断审视着自己的这个思想。我就以“动机至善、私心了无”这句话来反复自问想要创办第二电电的“思想”里面是否含有“杂念”。

我每天晚上都要进行这样的自问自答，在持续了半年之后，终于能够确信“自己没有任何私心在内”，于是才正式开始了在通信领域的事业。也正是因为如此，包括第二电电员工在内的各方人士都能够对于我的这个“思想”产生共鸣，给予真挚的协作。最终，原本被认为实际条件最为不利的第二电电却在后来的竞争中脱颖而出，创造了今天的辉煌。

并且，这一点也并非仅限于商海，人生其实也是同理。

我相信那些寄来了读后感的少管所的孩子们今后一定会拥有幸福的人生。这是因为他们的心灵已经产生了改变，开始在憧憬美好的未来，并准备好了要为实现心中美好的梦想而辛勤付出。而这种纯粹的思想必然能够产生足以战胜一切阻碍的力量，让梦想最终变为现实。

如果我们都能够对于这种力量坚信不疑，让更多的人都能够拥有尽可能纯粹的思想，并为之不懈努力的话，那么这样一种“活法”不仅将给我们的人生带来巨大的收获，并且也必然会让我们的社会变得更加美好富足。

一心“利他”的善良思想不仅能够让我们赢得周围人的支持，同时也将令我们获得上天的垂青，并最终将导引自身走向成功的道路。而与之相反的是，如果只会耍小聪明、玩弄计谋，凡事只要自己好就行，以这种低层次思想为出发点的话，那么我们不仅得不到他人的合作和上天的眷顾，还会遇到各种障碍，不断遭受挫折。

幸福与否由心定

勤奋、感谢与反省的重要性

我是在13岁的时候迎来了第二次世界大战的结束，因此在我人生道路上最初学到的东西就是“勤奋”。在当时那片化为废墟的土地上，除了勤勤恳恳、努力工作也别无他法。

当时我家的经济状况非常贫困，然而令人感到不可思议的是，所有家庭成员并没有因此感到任何不幸，大家每天都任劳任怨，诚实地、辛勤地工作。

之后，从我在27岁那年创办了京瓷开始，对于“感谢”一词更是怀有强烈的感触。当时有许多人向毫无经营经验的我伸出了援手，其中有人甚至为了替我筹措办厂资金不惜拿自己的房子去作抵押，为了不辜负他们的期待，我唯有全力以赴，投身工作之中，并且无时无刻不从心底涌起“感谢”之情。

万幸的是，刚诞生的京瓷很快就走上了正轨，没多久就还清了借债。不过即便如此，当时公司在资金面上依然还是不太宽裕。那个时候我每天都在为了公司的业务四处奔忙，有时为了处理各种问题和矛盾，更是不得不夜以继日地应对。

然而即便如此，我心中也一刻不敢疏忽对于那些与我一同勤奋工作的手下员工、给我们提供了订单的客户以及为我们提供支持和服务的行业伙伴等周围人的“感谢”之情，总是会下意识地感到“自己是一个非常幸运的人”。

由于第二次世界大战后日本社会的快速发展，京瓷也随之获得了巨大的发展，并且当初没有料到的是，我本人也作为成功的企业经营者逐渐得到了世间的高度评价。

但是从那时起，我开始强烈意识到了“反省”的重要性。每天早上起床和晚上就寝时，我都会面对着卫生间的镜子回想自己昨天所遇之事和自己今天所为之事。发现自己有任何不当之处，则会严厉地斥责自己，并誓言永不再犯。

尽管我并不是一个完美的人，然而受赐于上面所说的这种“充满反省的人生态度”，使得在不断有企业经营者因为晚节不保而铸下大错的社会状况当中，我却得以一直保持不犯大错，让自己能够幸福地度过每一天。

怀着一颗美丽的心灵度过一生

就像这样，每当我意识到自己不管在任何环境状况当中都能够确保幸福感时，就不得不认为，所谓幸福，其实是一个非常主观的存在。我觉得一个人是否能够感受到幸福，完全取决于当事人的心态，而并没有任何普遍的标准。

不管物质多么丰富，可是如果欲望没有极限的话，照样无法感受到幸福。而那些陷于赤贫的人，只要能够拥有一颗满足的心，则仍然能够得到幸福感。

在佛陀的教诲中有一条是“知足”，只要我们一心执着于满足自身不断膨胀的欲望，那么就绝对不可能感受到任何幸福。唯有日日静心反省，压住汹涌的欲望之潮，常怀“感恩”之念，“真挚”付出，只有秉持这样一种生活方式，我们才能够真正感受到人生的幸福。

据说人有 108 种烦恼。佛祖释迦牟尼指出这些烦恼才是造成人生苦难的元凶。而在这些烦恼当中，最严重的当属被称作“三毒”的“贪”、“嗔”、“痴”。

作为世间凡人，为了生存就无法摆脱烦恼。但是我们又绝不能任由这些烦恼无限制地滋生蔓延。人生如果充满了烦恼，那么就永远没有办法感受到幸福。

我们人原本具备与烦恼相反的、美好的根性。我们每个人本来就拥有一颗乐于助人、甘心为他人奉献的美丽心灵。

然而在现实中，这一切都被沉重的烦恼所掩盖蒙蔽。

我们才有必要竭尽全力，遏制心中的烦恼。如果能够做到这一点的话，深埋于我们心底的美丽善良的心性就必然会得以展现出来。

并且在日常生活中，只要能够怀揣一颗美丽的心灵，即使物质不够丰足，我们也同样能够感受到幸福。

能不能获得幸福，这取决于人的心灵境界——就是说，我们能在多大程度上抑制利己的欲望，在多大程度上拥有祈愿他人好的“利他”之心。这才是幸福的关键所在——这是我在自己的人生中学到的。我深深地相信这一点。

我们有必要竭尽全力，遏制心中的烦恼。如果能够做到这一点的话，深埋于我们心底的美丽善良的心性就必然会得以展现出来。

并且在日常生活中，只要能够怀揣一颗美丽的心灵，即使物质不够丰足，我们也同样能够感受到幸福。

人生就是心灵的映射

为何成功总是难以持久

近些年来，在我的熟人当中，有不少曾经取得了辉煌的成就，并得到世间一致称羡的人最终却都无法避免沉沦没落。对此我在感到痛心的同时，又会思考："为什么一时获得的成功却总是难以持久下去？"

我们都是由于得到了他人的支持才能够获得成功，可是尽管如此，我们却往往将成功的根源归功于自身的能力，并进而将一切功劳都划到自己名下。所以我们才总是在不经意间慢慢沾染上傲慢的习性，并最终因此失去他人的支持与协助。

此外当我们获得成功时，并不会就此满足，而多是让自己的欲望不受节制地进一步膨胀，一心想要“变得更加有名”“获得更多的财富”。所以，如果我们在人生的道路上将最重要的“知足”和谦虚抛到脑后的话，那么暂时获得的成功也终将难以长久。

我相信在这个宇宙当中存在着一股令万事万物向善的“宇宙的意志”，如果我们将自己的心灵调整到与其相应的方向，再加上自身的勤奋努力，那么就必然能够确保光明的未来。

与此同时，如果不懂知足，不知谦虚，完全基于“以个人利益为中心”的利己理念指导自身行为的话，这就将与宇宙的意志相违背，即便获得暂时的成功，最终也只不过是昙花一现而已。

所以我们必须全力以赴，给我们心中的利己私心套上羁勒，并尽可能多地激发真诚利益他人的“利他”心念。

例如，我们应该努力“调整心性”，对于他人的幸福我们应该摒弃心中的嫉妒之念，而衷心祝福对方。对于他人的不幸我们应该如自身事一般同生悲念，给予抚慰。此外我们在对待他人时还应控制好心中的嗔恨，以体贴的胸怀待人接物。

一切都是自心的映射

詹姆斯·埃伦在他的《原因与结果的法则》一书中对于“调整心性”是这样阐述的：

“人心犹如庭院。有人以智慧耕耘，有人任其自生自灭，但是不管怎样这个庭院都会长出植物来。如果你在自心的庭院中没有播撒下繁花芳草的种子，那么最终这个庭院将会杂草丛生。一个合格的园丁会在庭院里耕耘土地、去除杂草、播种花草并细心呵护。”

“我们如果想要获得一个美好的人生，就必须整理好自心的庭院，扫除错误的杂念，播下纯粹的正念，并时时予以认真的关照。”

埃伦想要告诉世人的就是，为了让人生变得更加美好，我们必须像在庭院中耕耘一般，去除“恶念”的杂草，播撒“善念”的种子，并认真进行培育看护。“以智慧耕耘”的意思就是要基于理性，不断告诫自己“保持正道”。

只要能够如上面所说的去调整自心，那么我们被欲望俘虏、被嗔恨裹罩、被愤怒占据的心灵就会得到净化，并盛开被称作慈悲心和爱心的美丽“花朵”。

所谓的“调整自心”，乍看上去容易让人误以为这与事业和人生没有太大关系。然而实际情况却并非如此，事实上，事业的成就、人生的辉煌都是当事人自心的具体体现。

因此，不管是为了获得幸福人生的生活方式，还是试图创造辉煌业绩的工作路径，事实上都并不是太复杂。

我们即便取得了一定的成功，也应该继续谦虚为怀、学会知足、对一切事物都报以感恩之心。与此同时，在遭遇挫折时，我们又应该坦然面对现实，继续保持积极向上的人生态度。总而言之，为了让自身能够拥有杰出的人格，我们必须时刻注意保持正确的心态，毫不懈怠、不知疲倦地努力提高自身心性。

我相信，只有我们每一个人都矢志不渝地付出上述这样的努力，才是让社会变得更加美好的唯一方法。

我相信在这个宇宙当中存在着一股令万事万物向善的“宇宙的意志”。

第三章　律　己

不可将才能化为私有

常持自律自诫之心

我在自己的桌子上放着一本《南洲翁遗训》（南洲翁是西乡隆盛的别号，这部遗训是在其去世之后由后人收集整理而成。——译者注），时不时都会打开来读上几段。在这本书中，有这么一段话：

“爱己为最不善也。修业无果、诸事难成、无心思过，伐功而骄慢生，皆因自爱起，故不可偏私爱己也。”

这段话的意思就是：“爱己，即只图自己顺心而从不顾念他人，这种私心最为不善。修业无果，事业无成，有错不改，居功自傲，这些均由过分爱己而导致，所以决不能做这种自私自利之事。”

并且在《南洲翁遗训》中接下来还有下面这段话：

“观古今人物，事业初创其事，大抵十之成七八，余二三终成者稀。盖因初能谨言慎行，故功立名显。然不觉爱己之心，恐惧慎戒之意弛。骄矜之气渐涨。恃既成事业，苟信己万般皆能，则陷不利而事终败，皆自招也。故克己，人未睹未闻处慎戒也。”

也就是说，在事业始创时能够取得成功，但是能够继续将这种成功保持下去的人屈指可数。究其原因，都是因为功成名就后不知不觉生起爱己之心，开始骄傲、得意忘形起来，陷入过度自信当中，最终导致失败。所以，要想实现真正的成功，就必须认真奉行自律和自戒。

西乡隆盛想要告诫我们的是，为了取得成功，并让成功能够得到永续，我们必须永远保持谦虚坦荡的胸怀。

满招损，谦受益

自从我于 1959 年创建京瓷以来，为了手下的员工、为了给予我各种支持和帮助的人们，也为了我们的客户，我兢兢业业，任劳任怨地一直努力工作至今。

作为辛勤耕耘的回报，京瓷获得了巨大的发展，并于1971年成为了上市公司。作为一家创业12年就成功实现了上市的企业老板，因此我赢得了来自媒体和周围人的赞誉与夸奖。

事实上在那个时候，我也确实正如西乡隆盛所说的，开始变得骄傲和得意忘形起来。

我的脑袋里装的全是诸如“这是一家以我为核心的公司，当初完全是靠了我掌握的技术才得以起步，并且为了公司的发展我没日没夜地作出贡献，因此我理应得到更高的赞誉，获得更好的待遇。”

然而我很快就意识到了，就算京瓷的成功是基于我的才能，但是也绝对不可将这种才能化为私有。

就算我作为一名经营者，将京瓷这家企业引向了成功，但是这只不过是上天凑巧选中了我，赋予我经营才能，以便让这种才能能够“为世间和众人发挥作用”，因此任何想要把自己的才能化为一己私有的想法都是绝对不能允许的。

如果我得到了上天所赐予的才能，那么就只能将这种才能用来服务企业的员工、客户以及全社会。所以我不仅不能为已有的成功而感到骄傲自满，反而还要更加谦虚，更加努力奉献。

也正是由于我认识到了这一点，才能够谨怀谦虚，与公司员工们一道继续辛勤奋斗，最终成就了京瓷今日的辉煌。

在中国的古籍《书经》当中，有“满招损，谦受益”这句话。自古以来，骄傲自满者往往都会遭受惨重的失败，而能常怀谦虚之念，一心“利益他人”者则多能收获圆满的幸福。因此这句古语所蕴涵的道理超越了时代，一直到21世纪的今天也依然适用。

我觉得，现代社会混乱的根源就在于越来越多的人忘记了谦虚，满心自私自利的利己念头。所以我们每个人都应该感恩自己现在能够得到的一切，追求“谦虚心怀”，并以此为本，更加老老实实、勤勤恳恳地投入到生活和工作当中去。

我坚信只要这样去做，不仅个人绝对能够获得更加幸福的人生，同时当前这个混乱污浊的社会也多少将变得美好起来。

如果我得到了上天所赐予的才能，那么就只能将这种才能用来服务企业的员工、客户以及全社会。所以我不仅不能为已有的成功而感到骄傲自满，反而还要更加谦虚，更加努力奉献。

付出不亚于任何人的努力

成功没有捷径

我通过盛和塾的机缘得以结识了各地的企业经营者，并为他们做各类咨询。他们当中有许多人的问题都是：“如何才能够实现像京瓷和KDDI这样的成功？”这些经营者之所以会提出这个问题，是因为他们认为成功一定有秘诀可寻。

对于这样的问题，我都会一律答道：

“成功并没有什么特别的方法，如果你能够以自己为核心，与手下员工共同付出不亚于任何人的努力，那么你就一定能够取得成功。”

尤其是不少中小企业的经营者，往往都会以自己的公司只不过是“其他企业的供应商”、“规模太小”、“既无技术又无资金”等为借口，认为公司经营不好是理所当然的事。然而当企业的经营者一旦产生这种念头时，手下员工就会随之丧失工作积极性，从而导致企业真的陷入萎靡之中。

事实上，若想要获得成功，一家企业越是身处困境之中，这家企业的经营者就越是应该以身作则，率领全体员工付出不亚于任何人的勤勉和努力，除此之外别无他法。并且这种努力要必须足以感动上天，并让上天进而施与援手。

然而要想让企业员工自发生出上面所说的这种工作热情却又是件不容易的事情，企业经营者必须自己首先燃起对于成功的热忱，在率先垂范、持之以恒地付出卓越努力的同时，还应该摒除私心，提升自身人格，以期赢得员工的信赖和尊敬。

精诚所至，感天动地

大家都熟知的二宫尊德（日本江户末期的农村实践家。——译者注）在江户时代，没有用任何奇策异术就把土地和人心都几近荒芜的众多贫困村落改造成为了富饶之地。他所用的方法就是躬身亲行，一把锄头，一柄铁锹，从清晨劳作到深夜，与此同时又不断向村民们宣讲勤勉、正直、诚实等这些立身处世的最重要的道德伦理观念。

然后村民们对二宫尊德产生了信赖和尊敬，并开始与他共同辛勤劳作，终于使得整个村庄在物质和精神两方面都变得丰饶起来。

正如明治时期的思想家内村鉴三所指出的那样："精诚所至，感天动地"，二宫尊德坚信只要至诚努力，必然能够获得天地的帮助，如果还没有得到的话，那也是因为自己的诚意不够，因此二宫尊德任何时候都在毫不松懈地勤奋工作。

从我自身创办的京瓷和KDDI这两家公司的成长和发展历程也足以证明二宫尊德的教诲和实践都是真理。并且这个真理不仅有助于企业经营，对于我们的人生也同样极其重要。

人是脆弱的动物，一旦遭遇困难，不是从正面去挑战，而是马上寻找借口，意图逃避。这样做决不可能成功。不管处于何种严峻的状况之中，我们都要从正面接受，竭尽诚意，持续付出不亚于任何人的努力。这种态度是成功所必需的。

人是脆弱的动物，一旦遭遇困难，不是从正面去挑战，而是马上寻找借口，意图逃避。这样做决不可能成功。不管处于何种严峻的状况之中，我们都要从正面接受，竭尽诚意，持续付出不亚于任何人的努力。这种态度是成功所必需的。

富足乃“知足”

为什么我们感到不富足

日本在第二次世界大战的废墟上成功实现了复兴，现在被称为是世界上最富裕的国家之一。可是即便如此，在现实中依然有众多日本人抱怨“感受不到富足”。当然，这其中的原因也有一部分应该归咎于日本复杂的流通体系和繁杂的各类法规使得日本的物价要高于其他国家，因此尽早纠正国内外市场的价格差异也是势在必行。但是即便如此，我还是认为现在的日本实际上已经是一个“富足的国家”了。

在我们周围从事着普普通通工作的人当中，找不到一个人是身处饥寒交迫之中的。并且在我们这个社会里，也没人需要为了糊口而必须整日疲于奔命。事实上，日本的家庭早已实现了电气化，街头塞满了私人汽车，并且每年有超过一千万的日本人到海外去旅游。有鉴于此，日本应该已经算得上是一个“富足的国家”。

可是日本人虽然身处一个“富足国家”的同时，却又完全找不到富足的感觉。

究其根源，是因为日本人陷入了贫瘠的、令自身无法感受到富足的精神构造之中。

现代的日本人对于已经获得的富足视之不见，而一心谋求更多的东西。他们自以为世间存在着普遍客观的富足标准，总是因为“自己还有什么东西没有得到”而耿耿于怀，因此才会感受不到“富足”。

从利己走向利他

“富足”原本是一种主观的事物，其具体感受因人而异，并不存在什么客观的标准。因此，“不懂知足的人”也就成了“总是感到不满足的人”，他们不管身处如何丰裕的状态里也照旧不可能感受到富足。

所以，只有“知足者”才能够真实地感受富足，因为“知足”这种精神构造正是感受富足的先决条件。日本人之所以感受不到富足的罪魁祸首只能归咎于他们贫瘠的精神。

“不知足”也可以看作是“利己”。所谓利己，就是纵容“自己的欲望”不受节制地无限膨胀。那些一心想要满足“自己无限欲望”的人只会以自身得失作为判断标准，并为了谋求自身利益而不择手段，为所欲为。

在现在的日本社会当中，那些以利己作为判断标准者的数量正在不断增长。催生了日本的泡沫经济，最终又使其破灭，并导致当前日本社会整体迷失的元凶，正是现代日本人的利欲熏心。

要想重新改造日本社会向好的方向转变，首先需要做的就是净化日本人的心灵。只有当每个人都具备了不为利己念头所俘获奴役的正确判断标准和价值观时，我们才会懂得“知足”，并真心感受到“富足”。

唯有每一个日本人都能够持有一颗利他之心，为了世间和众人倾力奉献时，日本才能够成为一个真正美好的国家。

只有当每个人都具备了不为利己念头所俘获奴役的

正确判断基准和价值观时，

我们才会懂得“知足”，

并真心感受到“富足”。

日省吾心

让利己之心得到净化

我每天早上在洗脸的时候，有时会从心底涌起强烈的反省之念。例如，每当这时回想起自己前一天的不当言行时，我都会冲着镜子里的自己厉声叱责，“岂有此理！”“你真是个蠢货！”

最近以来，更是不仅限于早上洗脸的时候，在宴席结束后，回到家中或者酒店的房间准备上床就寝时，也时不时会不由自主地脱口而出“对不起，希望上天能够原谅我”这样的“反省”之词。

我口中的“对不起”是在为自己所犯的不当错误表示坦诚道歉的同时，又在向造物主发出祈求，希望自己的错误能够得到原谅。

每当我高声说出这些话时，或许会让听到的人吓一跳，但是我在独处之时，总是会不由自主地脱口而出这些词语的事实却又有利于我进行自戒。

对于这个习惯，我个人的理解是，这时我自己的“良心”在呵斥内心中的那个利己的自我。

我们每个人如果都能够基于理性，从利他角度作出判断的话，那么就自然会永远确保采取正确的行动。只是实际中这一点却又万难办到，事实上我们更多的是根据与生俱来的，以自我为中心的利己心来进行判断，并作出行动。

例如像为了维持自己的肉体，因此力图排除他人，独占食物这类的贪欲心。这种利己之心是先天赋予的，为了实现自我维系的生物本能，因此想要完全消除这些念头是一件非常困难的事情。然而，如果我们因此就基于本能而任由利己心滋生蔓延，那么不管是自己的人生，还是经营企业时，都会为了满足欲望而为非作歹。

“反省”正是为了试图净化我们充盈着利己之念的

心。我认为，如果能够通过不断反省来警戒自身，尽可能地压制住利己念头，那么我们心中原本潜藏着的美好的“利他”之心自然就会显现出来。

正如佛教所说的“众生皆佛”一样，人的本性纯净美好，充满了爱、真诚、和谐，是正如“真、善、美”以及“良心”等辞藻所表现的崇高之物。通过反省，我们一定能够让我们心中原本美丽的心性得到绽放和升华。

通过不断努力来获得纯粹之心

但是“反省”并非一朝一夕之事，必须持之以恒。这是因为人性顽劣，如果不反复进行反省的话，就绝对不可能得到改变。我本人也是通过每一天都要进行的反省才使得自己最初认为很难做到的事情，最终得以成为习以为常的习性。

这样一种习性与禅寺的修行有着异曲同工的效果。通过反复“反省”，持之以恒地努力纯粹自心，必然能够让我们的精神世界迈上更高的层次。

包括我在内的所有众生都并非完美，会犯这样或那样的错误。然而每当犯了错误，做了不当之事时，我们都应该认真进行反省，并尽一切努力不再重犯。凭借这样一种日日反省，我们必然能够让自身的本性不断得到提升。

我坚信，通过这种日日反省塑造而成的人格才是最坚强牢固的、最崇高的，才是能够让我们的人生充满幸福的根本原因。

正如佛教所说的“众生皆佛”一样，人的本性纯净美好，充满了爱、真诚、和谐，是正如“真、善、美”以及“良心”等辞藻所表现的崇高之物。通过反省，我们一定能够让我们心中原本美丽的心性得到绽放和升华。

第四章 走向坦途

劳动的重要性

苦难是上苍的礼物

我认为很有必要让生活在当今社会的年轻人了解劳动的重要性。

我本人在年轻的时候曾经遭遇过许多挫折，经历过不少磨难。但是在意识到了自己正是由于没有为这些困难所击倒、不断勤奋工作、努力向前，才最终有了今天的成就后，我深深地感受到了勤奋工作的重要性。

大学毕业后，我好不容易才进入了一家名叫“松风工业”的正处于风雨飘摇中的企业工作。周围的人都惋惜地说：“稻盛可真是倒霉，在大学学到了知识，成绩也不错，可是现在却进了一家没有前途的公司，真不知道他将来该怎么办才好。”

然而，现在再回过头来看，这实在是上苍赐予我的最好“礼物”。因为正是由于我只能进一家亏损企业工作，才使得自己唯有全身心地投入到精密陶瓷的研究开发工作之中——而这也正给我挫折连连的人生画上了休止符，为我新的人生之路打开了一扇大门。

那个时候，我成天泡在简陋的研究室里，全神贯注、废寝忘食地投入到了当时还没有受到世间瞩目的精密陶瓷材料的研究开发工作之中。最终，我成功研发出了新型材料，取得了辉煌的成果。但是后来围绕着新技术的开发问题，我和上司产生了对立，最终只能从公司辞职走人。

在我辞职之后，有不少人向我提供了各种各样的支持，并协助我创办了京瓷公司。然而作为一家刚刚创建的公司，当时的京瓷随时都有倒闭的危险，为了不让公司员工们因此流落街头，我付出了要比以前更多的辛劳。

看到我这个样子，于是周围有人评论道：

“那家伙运气实在不好。27 岁在一无所有的状况下居然创办了一家前途未卜的公司，并且没日没夜为了工作费心操劳，也不知道他的辛劳最终是否能够得到回报。”

然而勤奋的努力终究得到了回报，京瓷不断发展壮大，到现如今已经成长为一家年销售额超过一万亿日元的企业。与此同时，我自己的人生之路也得到了来自社会各界的大力支援，收获了难以想象的精彩。

并且不仅限于我自身，从京瓷创业时代开始就共同经历了千辛万苦、奋斗至今的我的伙伴们也得到了与我同样的收获。我的这些伙伴们当年进入了前景难测、规模就像一家作坊一样的京瓷，夜以继日地辛勤工作，甚至连他们的父母都劝说他们：“实在是没有必要那么辛苦，还是辞职算了，不然身体都会垮掉。”可是他们不为所动，为了公司的发展辛勤奉献。

尽管中途也不是没有人退缩，但是留下的人却更加以苦为乐，毫无怨言，心中充满了对于未来的希望，全身心地投入到工作之中。正是由于这样的勤奋劳动，最终塑造了他们杰出的人格。

当时与我一道经历了各种磨砺的那些平凡的年轻人，最终都成为了优秀的领导者，并成就了京瓷后来的发展，当然他们本人也获得了幸福的人生。

将指派的工作视作天职

勤奋工作会给我们的人生带来精彩。劳动是有助于我们克服人生磨难和逆境的灵丹妙药。只要能够付出不亚于任何人的努力，全力以赴地投入到工作之中，我们的命运大门必然会随之开启。

作为普通人，即便是在有利的环境当中，往往也会对赋予的工作产生厌烦心理，怨天尤人。可是这种做法无助于改善我们的命运。我们应该将指派的工作视作天职，全心投入，努力奉行。

只要能够这样，我们心中对于工作的怨言自然就会消除，工作本身也将随之变得顺畅起来。并且，如果我们能够在工作中更加精进的话，那么必然会由此塑造自身美好崇高的理念与人格，最终让我们的人生在物质和精神两方面都获得丰收。

然而反观现在的年轻人，将工作视作赚钱手段的思潮肆意蔓延，越来越多的人将忍耐和勤奋视为无用之举，正是因为如此，才使得啃老族和无业者的人数不断增加。

不管面对任何困难，都要全力拼搏，以积极进取的态度辛勤劳作，通过这种方式，我们的人生必然会得到丰厚的回报。关于这一点，我认为像我们这样的人生先行者有责任告诫给现在的青年们。

勤奋工作会给我们的人生带来精彩。

劳动是有助于我们克服人生磨难和逆境的灵丹妙药。

只要能够付出不亚于任何人的努力，全力以赴地投入到工作之中，我们的命运大门必然会随之开启。

全力以赴投入工作

聪明才辩仅是三等资质

对于领导者所应具备的资质，中国明代思想家吕新吾曾经在他的著作《呻吟语》中指出："深沉厚重是第一等资质。"也就是说，作为领导者，最重要的就是需要具备对于任何事物都能深思熟虑的厚重性格。

接下来吕新吾又进一步指出，"聪明才辩是第三等资质"。这等于是在说，"脑袋聪明，又有才能，并且还能言善辩"只是第三等资质而已。

可是综观现代社会，不管是政界官场，还是经济领域，被选拔出来的领导者却多是仅仅具备吕新吾所指的第三等资质的人。尽管这些人或许确实都具有一定的才能，皆是有用之才。但是他们是否具备了作为领导者的应有资质却令人怀疑。

我觉得，现代社会之所以出现人心荒废的一个根源就在于我们选择了那些只具有第三等资质的人来做领导者。要想让当今混乱的社会局面得到拨乱反正，重新进步，非常重要的一点就是要选用具备吕新吾所说的第一等资质的人，也就是拥有杰出“人格”的人来出任领导者。

不过与此同时又必须加以注意的一点是，“人格”并非是恒久不变的东西，它会随着时间的变迁而产生变化。

例如，原本勤奋谦虚的人一旦坐上权力的宝座，就有可能立刻变得傲慢不逊起来。相反，那些曾经行为不端的人，如果能够洗心革面，努力进取的话，也有可能转变为人格高尚者。

所谓“人格”正是这样一种会在好与坏之间不断变化的东西。有鉴于此，在选拔领导者时，不能光凭做出判断之时的“人格”来确定候选人适任与否。

那么，我们又该以怎样的基准来选拔领导者呢？

通过全心全意投身于工作来塑造自身人格

首先，必须拥有“人格是如何形成的”以及“如何才能够让人格获得提升”的认识。

要想提升人格、磨砺自身心性，原本需要进行如修道者一般的严格修行，因此对于我们这些普通人而言，提升自身人格无疑是一件极其困难的事情。

我认为，通过全心全意地投身于工作之中的途径，同样可以令我们的人格获得提升。也就是说，努力工作不仅能够为我们的生活提供物质基础，同时也可以完善我们的人格。

一个典型的例子就是二宫尊德。他通过终生在田野间刻苦勤勉的劳作而感知到真理，使得自身人格得到了升华。他也因此作为领袖获得了众人的信赖和尊敬，拯救了众多贫瘠的村庄。

真正的领导者也正是像二宫尊德一样，都是能够在自己的人生当中，一心一意专注于工作，并在此过程中让自己的人格不断得到升华的人。因为这样的人才能在被委以权力后不堕落、不傲慢，为了集体的利益甘愿牺牲自己，努力奉献。

我一直都在期盼，不论规模大小，所有组织的领导者都能由上面所说的这种愿意尽其所能、提升自身品格的人来担当。并且我也相信，通过这些组织领导者一点一滴的带动和影响，整个社会必定会变得更加美丽。

真正的领导者都是能够在自己的人生当中，一心一意专注于工作，并在此过程中让自己的人格不断得到升华的人。

因为这样的人才能在被委以权力后不堕落、不傲慢，为了集体的利益甘愿牺牲自己，努力奉献。

立身处世的正确活法

追求人间正道

我是在毫无企业经营知识的情况下，于27岁那年，机缘偶合才创立了京瓷这家公司，开始了企业的经营事业。开业之初，京瓷仅仅是一家员工人数只有28人的小公司，因此也就面临着众多迫在眉睫的问题，公司员工们总是接二连三地来向我寻求各种决定。

因为我原本没有任何企业经营经验，既不懂经济，也不懂财务，可是当时却又必须就这类相关问题作出判断，因此我当时深为究竟应该以怎样的基准来作出判断而困惑。

在经过反复思考之后，我最终决定将判断基准定位为“作为人，何谓正确”，也就是基于为人处世的最基本的伦理道德观念——“哪些是人间正道”、“哪些不是”、“什么是善”、“什么是恶”等作为判断基准。

尽管在当今社会中充斥着各种不公正现象和自私自利的人，整体状况不容乐观，但是不管现实世界具体如何，我依然要以“作为人，何谓正确”自律，努力遵守所有人都认为是正确的，也就是立身处世的普遍原则，继续追求自己的理想。

所谓“作为人，何谓正确”，就是不管在任何情况下，都要做到尊重并信奉如公正、公平、正义、努力、勇气、博爱、谦虚、诚实等辞藻所表现的世间最珍贵的价值观，并以此来指导自身的行为。

现在回过头再来看，当初没有任何经营经验的我之所以能够创办京瓷和 KDDI 这样的企业，完全在于我能够以咬定青山不放松的态度来追求“人间正道”的缘故。

无愧的人生

可是在现实当中，不少拥有一定的企业经营学识和经验的人却更倾向于将“是否有助于获得利润”这样的理念，而非“人间正道”来作为自己的判断基准。相较于勤奋工作，这些经营者更关心的是如何才能够做到长袖善舞。并且他们的追求更多的是合理性与效率性。

并且这种倾向也不仅仅只局限于企业经营者。

在政治家和官员当中，那些仅依靠优秀的学识和处世之术得以跻身于领导者之列的人也都具有相同的行为特征。

而一个充斥着这种领导者的社会必然会摒弃正确的理念，让自私自利、以谋求个人利益为中心的风潮愈演愈烈。并使得越来越多的人将错误的行为视为理所当然，最终扰乱了社会，荒废了人心。

我很担心这就是日本社会当今的真实状况。因此为了构筑一个理想社会，我们每一个人都必须采取符合理想社会要求的行动，也就是必须遵循人间正道。

特别是那些站在指导立场的领导者们更有必要严格自律，常常反省自己“是否有任何有愧之处”。只有当政界、官场和商界等所有领域的身居要职的人都能够以身作则，带领大家追求人间正道时，整个社会的风气才能够得到改善，一个健全的社会才能够得以确立。

所谓“作为人，何谓正确”，就是不管在任何情况下，都要做到尊重并信奉如公正、公平、正义、努力、勇气、博爱、谦虚、诚实等辞藻所表现的世间最珍贵的价值观，并以此来指导自身的行为。

以德为治

孙中山主张的王道

在进行组织管理时，存在着以“力”治理和以“德”治理的两种方式。换而言之，在统治一个集团时，有以德为本的“王道”和以力为本的“霸道”这两种不同方法。

关于这里所说的“王道”和“霸道”，出自“中国革命之父”孙中山于 1924 年在日本神户所作的一场演讲当中的一段内容。

孙中山当时正在谋划通过革命建立一个新的中国，因此为了寻求友人的支持，特意访问了正在日趋军国主义化的日本，并在出访过程当中发表了如下言论。

“西方的物质文明是科学的文明，而今演变为武力文明来压迫亚洲。这种做法，用中国的古话说，就是‘霸道’文明。我们东亚有比霸道文化优越的‘王道’文化，王道文化的本质是道德、仁义。”

“你们日本民族在吸收欧美霸道文化的同时，也拥有亚洲王道文化的本质。日本今后面对世界文化的未来，究竟是充当西方霸道的看门狗，还是成为东方王道的捍卫者，取决于你们日本国民的认真思考和慎重选择。”

遗憾的是，日本没有倾听孙文的忠告，结果一泻千里，陷于霸道而不能自拔，持续所谓“富国强兵”的国策，直至 1945 年战败为止。

孙文所说的“王道”，是指“以德为本”的国家政策。所谓“德”，中国自古以来用“仁”、“义”、“礼”三个字来表示。

“仁”指的是慈悲之心；

“义”指的是合乎道理；

“礼”指的是知晓礼节。

"仁"、"义"、"礼"三者兼备之人被称为"有德之人"。

"以德而治"，意思是依靠高尚的人格来对集团进行统治管理。

企业经营决定于领导者的器量

我认为，这个道理在企业经营中同样适用，企业要持续繁荣，经营者必须贯彻"以德为本"的方针。

欧美多数企业，以霸道即"力量"来管理企业。比如说，运用资本的逻辑决定人事权、任命权，或者通过金钱刺激来驱使员工。

然而，依靠权力来压制别人，或者依靠金钱来刺激员工的欲望，这样的经营，即使能够获得一时的成功，但终将招致员工的抵制，露出破绽。

企业经营必须把永续繁荣作为目标，我认为只有"以德为本"的经营才能实现这一目标。

事实上，随着经营者人格的提升企业就会不断成长发展。上述的观点，换句话来表述就是："企业经营决定于领导者的器量。"无论你主观上怎么想把企业做大，做好，但是，“螃蟹只会比照自己的壳的大小挖洞”，企业发展的水平，取决于经营者的品格，也就是经营者“器量”的大小。

比如说，常有这样的情况：企业小的时候经营成功，但随着企业规模变大，经营者掌握不住经营之舵，导致公司破产倒闭。因为经营者没能随着企业规模扩大而拓展自己的“器量”。

企业要发展壮大，首先要求经营者相应地拓展自己的器量，也就是说，经营者要有意识地作出努力，不断提升自己的品格、哲学理念和所谓“思考方式”。

然而，近些年以来，意识到这一点的日本企业家越来越少，不断有企业家在事业上稍获成功，即将谦虚抛到脑后，变得趾高气扬，并开始一心追求个人私利，最终让好不容易才建立起来的事业毁于一旦。

所以我们现在更有必要向圣贤学习，重新认识“德”的重要性。这不仅有助于推动我们自身组织的进步与发展，同时对于混沌迷乱的日本社会的重生也将起到重要作用。

企业要发展壮大，首先要求经营者相应地拓展自己的器量，也就是说，经营者要有意识地作出努力，不断提升自己的品格、哲学理念和所谓“思考方式”。

打开“智慧宝库”

创造力的源泉

在我作为一名技术人员和企业经营者长期沉浸于“制造业”的生涯当中，会不断切身体会到某种伟大的存在，并对其生起虔诚之心。在我的事业生涯当中，常常感觉到，自己触及了那巨大的睿智，它指引我成功研发出各种新产品，使得事业得到成长与发展，并让我自己的人生也变得更加充实。

对此，我是这么认为的：

这既非偶然，也不是因为我的才干而带来的必然。在这个宇宙的某个地方秘藏着“智慧宝库（真理的宝库）”，在我自身不经意的时候，这个宝库所蕴涵的“睿智”触发了我的新思维与灵感。

这个取之不竭的“睿智之井”就如宇宙，或者神所埋藏的普遍真理一样，而这种睿智是人类实现技术进步和文明发展的触媒。我本人也是在全身心地投入研究工作的过程当中，受到了这种睿智的激发，才得以研发出划时代的新型材料和新产品。

我在出席“京都奖”授奖仪式时，能够遇到各个领域的、足以代表人类最高才智的研究者。每当这个时候，我总是会被告知他们在完成意义非凡的发明和发现的过程当中，都有那么一刻，宛若神赐般地获得创造灵感瞬间的个人体验，并为此感到惊叹。

他们所说的“创造”的瞬间，大都是在默默无闻、辛勤工作的研究生涯中，打算稍事休息的某一刻，或者在睡梦之中。总是在这种时候，“智慧宝库”的大门才会开启，给他们以各种灵感。

爱迪生之所以能够在电子通讯领域不断获得各种前所未有的发明和发现，或许正是因为他付出了常人所不能及的刻苦钻研，从而得以从“智慧宝库”中获得更多灵感的缘故。

在我看来，当人类回顾缅怀那些不断开拓出崭新领域的伟大先人的功绩时就会发现，他们正是以“智慧宝库”所赋予的睿智作为自身创造力的源泉，创造出了绝伦无比的技术，从而推动了人类文明的发展。

纯心、热情与努力

那么，我们如何才能够打开“智慧宝库”，获得同样的睿智呢？

这就需要我们拥有纯洁无瑕的纯粹之心，燃烧起旺盛的热情，并不断付出真诚的努力。

对于那些心灵美丽、怀揣梦想、勇于付出超于常人努力的人，上苍总会为他的前路投以光明，从“智慧宝库”中给予灵感。

我正是基于亲身经历才对于这一点拥有强烈的感触。如果不是这样，就不足以解释当初像我这样一个平凡的年轻人为何能够创建起如京瓷和 KDDI 这样的企业，并获得了今天的成就。

不管是创建京瓷，还是创建 KDDI，我都是废寝忘食地如“狂人”一般投身于工作之中。我当时的念头就是一心“为了世人的利益，一定要让这项事业获得成功”，并为此不顾一切地真心付出。作为这种努力的回报，我也同样被赋予了蕴藏于“智慧宝库”中的睿智。

我相信，这个“智慧宝库”不仅能够惠及那些正在开创事业、研发新产品、从事创造性工作的人，同样也能够让那些心灵美丽、一心不乱地从事其他工作与事业的人从中获益。

作为任何一个能够“善意待人”、勤勉努力的人，不管在遇到任何困难，进而深陷烦恼时，上天都必然会照出一道光明，给他以克服阻碍的启示。而这种启示同样也是来自于“智慧宝库”。

总之，我相信，“智慧宝库”只为那些在人生旅途中遵循真诚之路的人开启它的大门。

稻盛和夫的实学（小开本精装）

稻盛和夫的实学
经典珍藏版（全5册）

稻盛和夫的实学
经营与会计（小开本）

稻盛和夫的实学
创造高收益（小开本）

稻盛和夫的实学
活用人才（小开本）

稻盛和夫的实学
经营三十四问（小开本）

稻盛和夫的实学
阿米巴模式（小开本）